AF607322

Primera edición, febrero de 2022

info@westindies.eu

Fotografía de portada: Alfonso Vila Francés
Corrección y maquetación: Fut i makak

ISBN: 978-9916-9685-4-3
Impreso en España – Printed in Spain

Poemas rotos

Alfonso Vila Francés

West Indies
Publishing Company

PALABRAS PARA UN DOMINGO

Alégrate de levantarte un domingo,
un domingo cualquiera
y tener dos piernas y poder andar.
Alégrate de tener una mujer a tu lado, durmiendo
en la cama grande,
una mujer a la que abrazar y que te dé calor
en las largas noches de invierno.
Alégrate de oír las risas de tus hijos. Y que te pidan la leche
o te pregunten qué pantalón ponerse.
Y alégrate de tener leche en la nevera
y un pantalón para salir de casa.
Vienes de las pesadillas de la noche, de los fantasmas
silenciosos e invisibles, que te observan y vigilan
en la gran sala vacía.
Están ahí y no aparecen.
Y la sala vacía del cine tiene el proyector encendido.
Y la pantalla en blanco.
Ves las sombras que la cruzan y sabes que los fantasmas
no tienen sombras. Y luego el pasillo cada vez más estrecho,
y la puerta de la calle y tú cada vez más cerca
y el pasillo cada vez más estrecho. Y la luz
en la calle.

Y tú que no llegas, que no puedes llegar.
Pero abres los ojos. Se acabó la pesadilla.
La casa está en silencio.
Hay luz en el comedor.
Alégrate de tus pesadillas.
Sólo los vivos tienen pesadillas.
Alégrate de tener una mujer a la que contarle tus pesadillas.
Alégrate de tener unos hijos que te contarán sus pesadillas.
Alégrate de tener una lavadora que poner
y unos platos que fregar.
Porque es domingo, un simple domingo,
y tienes toda la mañana por delante.
Porque es domingo, un simple domingo, y estás vivo
y has salido de tu pesadilla.

PARA EN TODAS LAS ESTACIONES

Ese furioso deseo
de herirnos y curarnos
con palabras y besos
que previamente han desgajado nuestra piel.

Ese silencio de
reproches y culpa
familiar como la araña doméstica
colgada en una esquina del dormitorio
de siglo en siglo bajando a la cama para
comprobar que seguimos vivos.

Esa tristeza del nómada
que no puede ser feliz en el paraíso
aunque sabe que el paraíso
es la última mentira de la vida.
Y no hay tren que no acabe parando

en una estación sin nombre
donde caer en el embudo de los altavoces
del trasbordo feliz del billete abierto
del regreso.

Esa luz dulce de tus ojos
con su mancha de horror al fondo
dormido abismo de orgasmos
de terribles mordiscos cariñosos de
crujientes huesos momificados.

No puedo recordar ni el día ni la hora ni el lugar porque
cada día y cada hora y cada
playa y cada andén
y cada buen deseo sinceramente rabioso se
han lanzado contra tus caderas
en un desembarco suicida y esperado
bendecido por la araña sabia
bendecido por la guillotina de la persiana
bendecido por el revisor ausente
y el vago estudiante
y el que se cree que un piano es una escalera
y el que confunde sinceridad con ejecución sumaria.

Porque al final
ese furioso deseo de curarnos y
de herirnos
con besos y palabras
vuelve al recuerdo del verano
a la caja cerrada de los libros de contabilidad a
los teléfonos pendencieros
y los sobres tóxicos.

Y la tristeza del nómada
me envuelve con su escarcha
mientras el tren pasa una estación tras otra y
se acerca a velocidad constante
a la vía muerta.

The Perfect Life, Moby.

Nadie te va a odiar porque seas feliz.

Nadie te va a odiar esta noche
por besar a una chica
que no quiere otra cosa que un beso tuyo
aunque no tiene ni idea de lo caros que salen tus besos
porque tus besos llevan el veneno
de todos los besos podridos
que no quemaste a tiempo
que dejaste olvidados en el armario del dormitorio
cuando todos te pedían que saltaras sobre
la hoguera de los borrachos
y los suicidas
y todos esos poetas de los libros resentidos
que te escupían desde el balcón
cada tarde al salir de la escuela.

Te han dicho que tienes que llorar mucho
en esta escena
pero no te han dicho que no hay nadie grabando
tu actuación.
Y tú lloras y lloras y te preguntas
si lo estás haciendo bien.
Pues sí, lo estás haciendo muy bien,
lástima que nadie aplauda.

Has llorado tan bien que has asustado a una pobre chica
que solo quería un beso tuyo.
Los besos salen caros, porque detrás viene el puñal.
Cada beso corta un trozo de carne.
Cada beso te deja un poco más muerto.
Pero nadie aplaude. Nadie grita "Corten".
Nadie dice:
"Se acabó. Hemos llegado al final".
¿Y si no hay final?
¿Y si no hay nada que hacer sino esperar algo
que no termina nunca
porque nunca empezó?

Puedes ser feliz esta noche.
Puedes probar a ser feliz por una noche.
A ver qué pasa. A ver si el director se da cuenta.
Puedes salirte del guion por esta noche.
Un beso puede matarte.
Un beso puede matar.
O puede que no, puede que ni tú ni ella ni nadie
que bese o sea besado
tenga que morir esta noche,
solo por esta noche.
Puede que nadie esté grabando la escena.
Puede que el director esté en otra parte.
Y tengas todo el decorado para ti,
y nadie pueda acusarte
de ser feliz por un momento,
de besar a una chica de repente,
con miedo y prisas, porque te pueden ver
y entonces la hemos fastidiado,
tú feliz y besándote con una chica, qué catástrofe
para tu reputación.

Has sido vulgar, tan vulgar como todos,
y has querido besar y ser besado,
solo para probar otro sabor del amanecer,
otro sabor que no sea tan amargo y queme tanto
tu garganta y tus labios
y te meta en la cama cuando todos se levantan
satisfechos de sus vulgares vidas
de hombres y mujeres que besan y son besados.

Has sido vulgar, tan vulgar como todos.
Y luego has tenido miedo y has salido corriendo
Tan deprisa que ahora no sabes dónde estás.
Tan deprisa que ni siquiera puedes decir
si alguien te ha visto.
Porque nadie ha gritado.
Porque nadie te ha señalado.

¿Y si vuelves y todo sigue igual?
¿Y si vuelves y nadie te ha echado en falta?
Una chica espera tu beso.
Los ojos cerrados. El cuerpo casi vencido
por el sueño y el alcohol.
Una noche muy larga. Canciones. Risas. Bromas.
Bailes que no eran para ti.
Cristales rotos y un vestido muy fino.
Todo ha llegado demasiado pronto
y demasiado tarde.
Nadie te va a odiar porque seas feliz esta noche.
Lo creas o no.
Nadie está repasando el testamento
para ver si la vida ha entrado ilegalmente a tu cama.

Puedes permitirte el lujo de no dudar
de las estrellas.
Puedes pensar que la luna ilumina
sus pechos para ti.
O no, o mejor no hagas nada, sigue con tu pose
de poeta maldito,
sigue bebiendo esa bebida que
en el fondo te resulta insípida.
Pero no le pidas al director que corte la escena.
Hoy no.
El fondo de la platea está muy oscuro.
No sabemos dónde está el director.

EL ÚLTIMO ASEDIO
(POEMA PROVISIONAL)

Cuando cunda el pánico,
cuando el enemigo ya esté dentro,
avanzando por las calles oscuras
mientras al fondo, junto a la muralla,
ya se ven las primeras llamas
del incendio que devorará la ciudad entera,
cuando estemos solos,
solos ante nuestra muerte,
y los gritos horribles de otros hombres y otras mujeres
no sean más que el preludio seco de nuestro silencio,
cuando la muralla caiga,
cuando los campanarios y las cúpulas de las iglesias caigan,
cuando los escudos de piedra y las estatuas caigan,
cuando los cuerpos caigan,
cuando todo esté en tierra
y toda la tierra sea ceniza y huesos,
recordaremos el sabor de nuestros primeros besos,
de los besos antiguos y casi olvidados,
de los besos que abrían montañas y cerraban heridas,
de los besos que ya no recordábamos a qué sabían,
y moriremos con el recobrado sabor de los besos de antes,
y ese sabor será tan fuerte que perdurará en la tierra,
que perdurará en el aire,
y será extrañamente percibido por los arqueólogos futuros,
los que descubrirán nuestra tumba por error
y no sabrán nada de nosotros.

TRASTORNO DE PERSONALIDAD
(ANTIPOEMA NAVIDEÑO)

Nací para
escribir

que no creo que la vida sea

un camino de lágrimas.
Pero no sé vivir de otra manera. Que la
alegría

casi nunca viene a visitarme

y cuando lo hace resulta peor.
Bromista insoportable,

la hermana gemela del dolor.

At least that's what you said
(wilco)

gentes desgastadas
fotos desgastadas
filosofías desgastadas
vacaciones desgastadas
trabajos desgastados
besos desgastados
canciones desgastadas
poesía desgastada

déjame sola.
al menos eso fue
lo que ella dijo

déjame sola
al menos eso fue
lo que ella dijo

gentes desgastadas
besos desgastados
películas desgastadas
poemas desgastados

¿y si el futuro no es más que una copia
desgastada del pasado?

déjame sola
déjame sola
déjame sola

VOLVER A LA CIUDAD COMO UN EXTRAÑO

Volver a la ciudad como un extraño.
Regresar a las calles que fueron tuyas.
Regresar a los parques, a las iglesias,
a las bibliotecas y supermercados,
a los hospitales y museos.
Regresar como un extraño, con la indiferencia de los peces
y las aves.
Retornar con la noche y escapar con la noche,
y contemplar las luces y las sombras de una ciudad
que fue tuya.
Y ver tu vida como un fugitivo, como un forastero.
Ver las calles llenas de gente o vacías,
y ser nadie entre la gente y nadie entre el viento.
Regresar a la ciudad que te vio nacer,
y que fue escenario anónimo de todas tus vidas.
La ciudad dura y hostil,
la ciudad cálida y mullida.
Recorrer la ciudad como un extraño,
de estación a estación, de autobús a autobús,
y llegar a una casa que ya no sabes si es tuya,
y recibir besos y abrazos que no sabes si mereces,
o si han caído sobre la piel equivocada.

Volver a la ciudad como un extraño,
y andar por calles y parques y subir a las azoteas
y bajar a los sótanos, y contemplarlo todo
como quien
contempla un vieja pintura borrosa,
unas letras que casi
no se pueden leer sobre una pared oscura,
manchada por el agua y quemada por el sol.

Y saber que ahí está la respuesta que no llegas a entender,
el secreto que no acabas de recordar.
Y después, una noche, una madrugada,
abandonar la ciudad
como un fugitivo.
Para volver a tu nueva ciudad extraña,
desde tu antigua ciudad extraña.
Y no saber si vas o vuelves,
o si nunca te has ido,
o si nunca has vuelto. Y vivir en el camino,
y vivir entre recuerdos polvorientos y heridas secas,
entre canciones sin letra y palabras
sin música.

MEMORIA DEL BALCÓN
(poema escrito la noche que murió Aute)

Ahora que Aute ha muerto.
Ahora que las calles callan y los balcones gritan.
Ahora que estás cerca y te siento lejos
y estar lejos es mirar todos los ríos que hemos cruzado.
Ahora que Aute ha muerto.
Ahora que mis vecinos son vecinos.
Ahora que los vecinos no son enemigos
porque los enemigos no tienen caras
que sonríen y gritan y cantan
y hacen
todo el ruido que pueden
para tapar el horrible silencio de las calles.
Ahora que Aute ha muerto.
Ahora que miro a mi vecino.
Ahora que ya no puedo desconfiar de las sombras
con las que me cruzo
porque yo soy otra sombra con el mismo miedo
en el bolsillo
y el mismo dolor invisible
en los ojos.

Ahora que Aute ha muerto.
Ahora que ya no caminamos por las sendas
cantando *Al alba*
porque las sendas se cubrieron de zarzas
y el fuego derribó
los recuerdos
de días oscuros bajo el sol brillante.
Ahora que la gente muere y todos sabemos
que la fila es muy larga
y a todos nos han dado
un número marcado.
Ahora que la gente se mete en la cama
y tiene miedo al teléfono
y el silencio de la noche
es un silencio lleno de gritos enterrados.
Ahora que Aute ha muerto.
Y los chavales ya no van de campamento a la sierra,
ni cantan *Al alba* mientras vuelven al albergue.
Ahora que cada noche hunde más la cama.
Y el silencio de la mañana no ofrece ningún refugio
para las farolas huérfanas
porque las farolas ya han aprendido
que el hombre es frágil y desmemoriado.
Ahora que Aute ha muerto.
Y ha muerto tanta gente.
Tanta gente que ayer aplaudían en tu balcón,
tanta gente con la que ayer aplaudías
desde su balcón.

Sí, todo será borrado por la lluvia.
Sí, todo será borrado por la luz
de los soles muertos de los veranos sin cristal.
Y sí, todo será finalmente borrado
por la noche blanca del hospital.
Pero los balcones gritan y yo tengo miedo
porque un día dejarán de gritar y volverá el ruido
el ruido muerto de una ciudad sin alma
porque el alma habrá emigrado como los pájaros
al llegar el invierno.
Habrá emigrado a un pasado que las calles ruidosas
no podrán encontrar.
Ahora que Aute ha muerto.
Hoy que tanta gente ha muerto.
Ahora quiero cantar con la noche,
con el coro de las ventanas encendidas,
con el compás de los árboles lentos,
porque tengo miedo de la mañana, tengo miedo
del ruido de la calle,
del ruido que volverá a taparlo todo
y nos dejará sin la memoria del balcón.

Everybody hurts, REM

Todavía estábamos en *Losing my religion*
pero ya sabíamos que *Everybody hurts.*
Olas contra los pórticos
del paseo que sube desde la estación.
Tu cuello frío y mi mirada muda.
Tu cuello mudo y mi mirada fría.
Todavía ni habíamos llegado al concierto
y ya estaban tocando la canción del entierro.
Será hermosa música que nunca podremos escuchar.
La canción que nos cantaban
las brujas niñeras en la cuna
y que luego perdimos y siempre buscamos.
Será hermosa música sobre tu cuello fino
y mi mano torpe.

Olas furiosas en la larga avenida
cuerpos que caminan hacia la última canción
y doblamos la esquina para ver
que la plaza está vacía
y en el suelo alguien nos ha dejado
una flecha que nadie ve
porque está pintada con un color que solo tú y yo
podemos ver.

Olas furiosas en la larga avenida
cuerpos que caminan hacia la última canción
y doblamos la esquina para ver
que la plaza está vacía
y en el suelo alguien nos ha dejado una flecha
que nadie ve
porque está pintada con un color
que solo tú y yo podemos ver.

No habíamos llegado aún a *Everybody hurts*
aunque ya sabíamos que si algo te quema
es que aún estás vivo.
Sí, mi amor, mi amor bastardo, mi amor enfermo,
mi amor parásito, mi amor mohoso,
mi amor descompuesto, mi
amor inyectado en vena, ¿pero no decían
que esto subía despacio?,
mi amor carcomido
con gusanos poetas y ratas licenciadas, sí,
mi amor muerto,
mi amor abortado, sí, te escucho,
claro que te escucho,
y canto, canto contigo, en la noche
honda, en la plaza sucia,
sin pisar los vasos rotos, volando por encima
de escaleras mecánicas
que nunca usó nadie jamás.

Olas furiosas en la larga avenida
cuerpos que caminan hacia la última canción
y doblamos la esquina para ver que la plaza
está vacía
y en el suelo alguien nos ha
dejado una flecha que nadie ve
porque está pintada
con un color que solo tú y yo podemos ver
que solo tú y yo podemos ver
que solo tú y yo podemos ver
que solo
que solo
que nadie nadie nadie nadie nadie nadie
nadie que no tenga tus ojos que comen
tus ojos que se comen a mis ojos
nadie que no haya sido comido por tus ojos
nadie puede ver.
Nadie puede ver.

No habíamos llegado a *Everybody hurts*
y no nos podíamos herir más.
Sin armas ni gritos
sin manos ni palabras
Y todo el daño estaba hecho.
Y no podía existir mayor dolor en el mundo.

Olas ruidosas en la calle empinada
que subía de la estación.
El tren en la vía, esperando su momento
El beso en la pistola, esperando el regreso de la lluvia
esa lluvia que borraría la flecha,
que nos dejaría atados al futuro en un barco a la deriva
atados frente a la catarata que ya ruge,
aunque la lluvia nos la tape con su mortaja.

Aún estábamos en *Losing my religion*
y ya sabíamos que la bala que nos esperaba
era tan vulgar como cualquier bala
y que eso era lo más insoportable de todo.

Olas furiosas en la larga avenida
cuerpos que caminan hacia la última canción.

ECOPOEMA
(con Navia en la ducha)

Sin sulfatos (SLES).
Sin PEG.
Sin silicona.
Sin parafina.
Sin aceites minerales.
Sin parabenos.
Sin izotiazomas.
Sin OMG.

No testado en animales.

Limpia con suavidad tanto el cabello como el cuerpo
gracias a su composición en base a

Esta vida es como cloroformo.
Al final todas tus aspiraciones
se disuelven.
Y el "grogue" te espera...

Los coches de Navia. Sus luces desoladas.
El mar agitado. La anciana que mira
protegida por un cristal que no protege nada.

El "grogue". No hace falta diccionario.
Un tranvía borroso. Una playa africana.
Habitaciones. Habitaciones para el sexo y la soledad.
Para la soledad y el sexo.

Champú suave.
Relajante y depurativo.
No testado en animales.

Todo el dolor que te causo
qué semilla germinará.
Todo el sudor que derramo
qué tallo elevará.
Toda la sangre que escapa
qué flor abrirá.

Navia y sus fotos.
Siempre encuentro algo distinto en ellas.
Los felices ríen tristemente.
Los tristes de ayer sonríen en el cementerio.

¿Para qué fuimos a África?
Vete. Vete a Brasil. Vete a Angola. Vete para Guinea.
¡Para el diablo!

Una ducha y el pescador junto a su barca.
Un bar para marineros.
Un puerto sin turistas.

Si no tenemos ni el aliento
de amarnos, con lo tristes
que son nuestros cuerpos.
Si no tenemos ni el alivio
de amarnos, con lo torpes
que son nuestras almas.

Iglesias cerradas. Calles lluviosas.
Un maniquí para la fiesta.
La ventana con un mar que se borra.
Un mar que cuando te quieres dar cuenta
ya no está delante, sino detrás de ti.
Una ventana con un mar que te borra.

Sin sulfatos (SLES).
Sin PEG.
Sin silicona.
Sin parafina.
Sin aceites minerales.

Se enfría el agua. Palmeras en la playa roja.

Agua de coco. Champú purificante.
Raíces grasas. Puntas secas.

¿Hasta cuándo vas a seguir odiándote?

Tú decides.

La noche no es para mí
(Video)

La cantante está enferma.
Pero el tren saldrá a su hora.
La cantante ya no canta, me han dicho.
Pero en el video se le ve tan joven,
que parece mentira que el tiempo...
El video de Video, por cierto, en su momento
no pensaba en estas cosas.
No pensaba en Coppini ni en su Hansel y Gretel.
no pensaba en Janis ni en las mentiras
que tendré que contar
a mis hijos.
Medicinas para el corazón, sí, todos
morimos con demasiadas
medicinas en el corazón.

(Esperando la noche/
como el que espera/ su final)

Video. ¿Qué sabía yo de este grupo,
de las discotecas de la costa,
de los pubs por cuyas puertas
yo pasaba sin sospechar nada,
sin ver nada,
sin entender qué hacía esa gente ahí,
amontonada en la acera
gritando, tirando botellas vacías, pegándose,
besándose...

Pero el tren va a salir.
A su hora.
Como siempre.
Y yo me montaré y seré otra persona.
Otra máscara. Otra mentira.
Perlas ensangrentadas, flores pisoteadas.
La noche, sí, esa noche, también fue para mí.
Y pasó por mi ventana mientras yo miraba
la sangre de mis manos.
La herida
de esa pistola que alguien había dejado en mi mesa
cargada y dispuesta
para que pudiera evitar la tentación.

Out of time/out of place
(Palabras para un lunes)

Desde la mañana a la noche
peleando con tu pasado.
Desde la noche a la mañana,
hundido en el lodo de pesadillas sucias
que mancharán tus manos cuando,
al despertar, quieras salir de la cama
para ver que tus hijos duermen
para ver que tienes hijos y tienes casa
para ver que tienes cuerpo y un espejo
que no te desprecia tanto
como te desprecia tu memoria.
Amigo, amigo. Así no vas a durar mucho y lo sabes.
Tú, colega, ¡mírame bien! A ti te digo...
Con un poema más no vas a engañar a nadie.
¿En serio te creíste ese cuento que te contó Eliseo
Subiela?
Nada dura menos que un fuego sin pastor que lo cuide.
Y tus ramas están muy mojadas por la lluvia.

El pastor sabe qué madera es la buena para cada noche.
El pastor sabe que al final hay brasas que incendian un
pajar.

Desde la mañana a la noche
peleando con tu pasado.
Desde la noche a la mañana,
hundido en el lodo de pesadillas sucias
que mancharán tus manos cuando,
al despertar, quieras salir de la cama
para ver que tu mujer duerme,
que no ha escapado por la ventana,
en mitad de la noche,
que no ha dejado la nota
que llevas muchos años esperando.
Si no mereces amor, ¿por qué diste tanto amor?
Si diste tanto amor, ¿cómo no dejaste un poco para ti?

Amigo, amigo.
Así no vas a durar mucho.
Y no le pidas a los Rollings más canciones para tu insomnio.
Ni a Neil Young, ni a Van Morrison, ni a ninguno de todos
los que quieren hacer otra casa nueva
sin demoler primero la vieja.

¿Te tengo que recordar que Morrissey ya te lo dijo?
Pero tú sigues con tu música y tus fotos
y tus poemas
y tus cuentos
y... ¿libros? ¿Libros de qué? ¿Libros para quién?

Es tarde y aún no puedes dormir.
Y dormir luego será volver a las pesadillas,
al miedo de esa semana
que tendrá que llegar y quedarse y luego
apagarse muy muy muy muy lentamente.
Aunque hay brasas... sí, ya sabes.
En cualquier momento empezará el incendio,
y tú tendrás que decidir qué vas a salvar,
qué vas a rescatar de las llamas
por esta vez.
Y no es que quiera ser molesto, colega, de verdad
que no quiero.
Pero yo estoy aquí para eso.
Para ayudarte a que decidas qué vas a salvar,
y para recordarte que lo que salves de un incendio
se quemará en el siguiente.

NOCHE DE SAN BARTOLOMÉ
PARIS, 1572

Alguien tuvo que limpiar el suelo.
Harían falta muchos cubos de agua,
Pero los mármoles nobles volvieron a brillar.
Parecían montones de hojas amontonados por el viento
en las puertas y las esquinas.
Pero eran cuerpos.
Y aún sangraban.
Alguien tuvo que separarlos. Que sacarlos uno a uno.
Que cargarlos en carros
y llevarlos a los campos de las afueras.
¿Les quitaron las ropas?
La muerte y la rapiña siempre van unidas.
Se recuperó todo lo que servía. Zapatos, botas,
pequeñas joyas,
cinturones y broches.
Alguien los volvió a amontonar, antes
de cubrirlos con tierra húmeda.
Y después salió el sol, florecieron
las flores, el rocío de la mañana resbaló
por los pétalos.
Alguien tuvo que bendecir el mundo.
Y lo bendijo: pues era su trabajo.
Y alguien miró a sus siervos y cortesanos,
los vio levantarse con pereza

y vestirse con pereza,
y coger la azada con pereza,
y fustigar al caballo con pereza
y desempolvar viejos papeles con pereza
y decidió que lo mejor era hacer una fiesta
para olvidar los gritos y las pesadillas de la noche.
Y así fue como los siervos, los cortesanos,
los letrados y los comerciantes,
los barberos, los campesinos,
los ladrones y los ministros
se emborracharon y rezaron juntos
y bailaron y gritaron hasta la noche.
Y así fue como llegó una nueva noche,
y todo el mundo se acostó
aturdido, cansado, satisfecho, con
el vientre lleno y una
extraña sensación bastante incómoda
de estar olvidando algo,
algo poco importante,
algo trivial,
pero algo al fin y al cabo.
Pero para entonces
las calles volvían a estar sucias,
con heces de bestias, restos de comida
hojarasca y lodo,
o bien limpias: lavadas por una lluvia
cómplice y minuciosa,
y los muertos y su sangre, sus gritos desgarradores,
sus miradas perplejas
eran un hueco en los legajos polvorientos,
un espacio reservado para las moscas y los adivinos
que saben leer las entrañas de la Historia.

En París, en Jerusalén, en las llanuras del Oeste
y en las selvas del Sur,
en todas partes y en todas las épocas
siempre hay alguien que limpia la sangre,
siempre hay alguien que forja la espada,
siempre hay alguien que decreta el olvido.

POEMA INICIAL

Que todos piensen que has muerto
y que nadie te eche de menos.
Métete en tu habitación.
Dedícate a tus fotitos, a tus poemitas, a tus novelitas.
No tienes talento, solo ambición.
No tienes disciplina. Eres cobarde.
Pero tú sigue soñando con el éxito,
con un milagro que nunca llegará
porque tú no crees en milagros.
Pese a todo, no dejes tus poemitas,
ni tus novelitas, ni tus fotitos.
Nunca llegarás a nada.
Bueno, ¿y qué importa?
El mundo es estúpido, violento, absurdo.
Tú no lo vas a hacer peor.

POEMA CAÍDO

La foto que no llegó a Murcia...

La cinta que le debía a esa chica vasca...

La explicación que no le di a Chus
después de lo de Mallorca, o esa carta
estúpida que le envié algunos meses antes...

La noche de Zaragoza. La noche de Peñíscola.
La noche de Gormaz.
La noche de Aineto. La noche de Orés...

El pánico de Madrid. El desastre
de Love and Rockets...

La noche de Morella...

Palpas bajo mis ropas
y notas una coraza de metal,
¿Te extraña que mi corazón esté tan protegido
cuando llevas años despedazándolo?

Poema caído.
Sin nombre y sin tumba.

ADIÓS, AMIGOS
(poema de ultratumba)

Escribir poemas en la cola del paro
no es nada romántico.
Si algún día un lector, alguien,
se tropieza con este poema
y quiere saber quién es el padre,
ese tal fulano de tal, sepa que
este individuo lo tuvo todo,
salud, dinero, amor,
y todo le pareció poco.
Y al igual que otros se pierden en espejismos dorados,
en placeres inagotables,
él buscó la fama, el éxito, el reconocimiento
de misteriosos críticos y oscuros profesores.
Si algún día alguien, un lector, se tropieza
con este poema,
recuérdelo y olvide.
El autor no merece otro castigo.

ADIÓS, AMIGOS (DESPEDIDA EN LA VIEJA CASA)

Adiós amigos, fantasmas
trasnochados, que yacéis en sótanos fríos, replegados
en nevados desvanes.
Si aún estáis por aquí, esperando
a algún mortal al que sorprender
y entristecer con vuestras historias
siempre repetidas y siempre vulgares,
cómicamente heroicas, vergonzosas
y cotidianas a su pesar, no os extrañe
que yo me vaya, que ascienda
a la luz negra del olvido.
Os quiero mucho, pero estoy harto de vosotros.
En las casas desvencijadas
todas las pulgas aman el silencio.

Y AHORA...
(SEGUNDO TIEMPO)

Cova: cómo te agradezco tu primera carta.
Volví de Denia y me esperaba la muerte.
La muerte, perro fiel, feo, sucio, juguetón,
con sus lamidos molestos y sus ridículos bailes,
con su cariño familiar e inútil,
con su alegría primitiva.
Por eso no te pude escribir nada.
Y tú, por suerte, no te resignaste:
¿Dónde están las cartas tan largas
que ibas a enviarme?
Los muertos no escriben cartas, Cova,
pero se alegran,
se alegran mucho cuando alguien los recuerda.
Te parecerá que exagero, por supuesto,
pero no sabes,
no sabes cómo agradecí tu carta,
esa primera carta que trajo muchas cartas,
muchos viajes, muchos conciertos,
porque luego vinieron los conciertos,
y los libros,
y los hijos
y los trabajos,

y toda esa vida empezó con un reproche,
con un "tío, despierta, vuelve
con nosotros, con los vivos, con los que estamos
al otro lado de la luz,
al otro lado de la foto,
al otro lado de las dedicatorias tontas
de esos poemas que leíste
sin saber que las páginas
estaban impregnadas de veneno,
ese veneno que sólo cabe en libros de poesía".
¿Arsénico, cianuro, o una simple dosis
demasiado fuerte de opio?
Tú lo sabes, yo lo sé, hasta Thierry lo sabe,
sin haber escrito
un solo poema.
Ni Elena escribía poemas y toda ella era
destilación de verano
y romero y sexo salvaje y virginal,
y gasolina y caucho y cuero viejo y el fulgor
de una vida demasiado radiante
para los parámetros oficiales
de los ciegos avaros que cuentan
las monedas de las putas.
No, Elena, a ti tampoco te lo he dicho nunca.
Despertar en un Talgo y ver tus ojos junto a mí.
Y que el Talgo no pare nunca y que yo
no llegue nunca.
Y no te rías, que va en serio, que soy tonto,
y no te besé la noche de Peñíscola,
la noche de mi muerte en el mar,
de mi primera muerte de ese verano,

no te besé porque no se besa al socorrista
que te acaba de salvar la vida,
y no se le besa por pudor, simplemente, no te creas
que no es por ganas, que a los revividos
no les faltan ganas de besos y carreras
por la playa y por las calles.
¿Y sabes?
Me salvaste para ir a morir a Tiermes,
a la dura meseta soriana.
Pero yo te lo agradecí tanto
que no dije ni una palabra, ni me moví
de la litera,
ni me acerqué a tu boca,
porque un gesto así hubiera cambiado
la corriente de los ríos,
precipitado la luz sobre la noche de los Polos,
hundido las torres que deben quedar
como testigos
de un gran imperio de terror y mentiras
cosido en el reverso
del uniforme escolar.
Elena, tú ya no estás. El guerra te llevó lejos.
Me contaron que volviste en misión clandestina
y que casi te delatas
en un reportaje de televisión.
No sabes cómo sufro por ti,
por vosotros, en realidad, porque sois muchos,
mis pequeños rescatadores inocentes,
y yo jamás lo reconoceré pero
conservo todas vuestras cartas,
aunque sé perfectamente que tenía que haberlas

quemado hace años,
justo cuando el último autobús a Bruselas
pasó de largo
y todos los refugiados corrimos
al búnker a prepararnos
para el asalto final.
Elena, Cova, Thierry...
Y Nuria.
Y Anniko.
Y Ramón,
Y Philippe, claro, pobre Philippe,
con lo majo que eras
y lo mal que me porté contigo.
¿Aún estarán ahí esas fotos con poca luz
en la noche rica de Luxemburgo?
Y... no, no diré tu nombre, no diré tu nombre
porque tu nombre sigue prohibido,
aunque tu templo hace siglos se hundió en la selva.
Te enterré en Tiermes y te enterré en Zaragoza,
y me enterré en Tiermes
y me enterré en Zaragoza,
y tardé muchos años en quitarme el sabor a tierra
de la boca, y luego... luego tuve nostalgia,
una nostalgia insoportable
del sabor de la tierra en mi boca.
No es momento ahora de volver
a caer en la trampa.
He jugado tantas veces a que no veía tu sucio truco
que no entiendo
qué gracia puede tener ya este juego.

Hay días que se pierden en un campo de trigo
y otros van a caer al fondo de un barranco.
Coger un tren, romper esa carta,
o no escribirla nunca...
¡Que poco costaba y qué imposible era!
Ya está. Nadie sabe nada. Déjala al sol,
déjala bajo la lluvia.
Algún día será imposible entender una sola palabra
y entonces le cerraré las puerta en las narices
a ese perrito molesto que viene a despertarme
justo cuando por fin acabo de dormirme.
Querido perrito muerte, ¡cómo te he odiado!
Tú tirando de mis pantalones, con tus tristes
dientes sucios,
y vosotros tirando de mi brazo, vosotros con
vuestros gritos y
bromas y canciones y risas y besos y abrazos y
esas cosas de los vivos
que tanto incomodan a los que ya están tumbados
en su cómodo ataúd.
Sí, Cova, de verdad te lo digo
(aunque lo diga sin ningún entusiasmo) de verdad
te lo digo:
cómo agradezco tu primera carta,
esa carta que me llevó a todas las demás cartas
y a todos vosotros, viejos compañeros de viaje,
amigos del alma
hermanos de corazón...
Nunca os agradecí lo suficiente
los días de hospital y tabaco impositivo.

Los sobornos a los periodistas, las palmaditas
a la espalda
de los médicos violadores.
Era un trabajo muy duro el visitar los sótanos
cada domingo después de misa,
y ¿qué hecho yo para compensaros?
¿un poema?
¿no tenía otro veneno con el que pagar mi muerte?
Pues bien, aquí estamos, todos perdidos.
Cada uno en un lado de la guerra.
Se acabó.
Ya no hay más cartas.
Ya no hay más poemas.
La vida ha impuesto sus normas.
Y son más severas que las de la muerte.

BARRIO VIEJO

Nos dijeron que no era nueva,
que no era para nosotros,
que la ciudad ya existía desde mucho antes.
Mentían.

La ciudad era nueva.
La ciudad era nuestra.
Fabuloso escenario
de un amor no declarado.

Una palabra de más
podía romperlo todo.

Y AHORA
(TIEMPO MUERTO)

Y ahora soy John Lennon con una herida de bala,
recordando la carrera que echó con su amigo Paul
en aquella empinada calle de las afueras de Lieja
muchos años antes de que todo empezara a terminar.

Y ahora soy Mike Scott
borracho en un salón vacío,
soñando con montar un grupo de música,
buscando un nombre para su grupo que aún no existe.
Mike Scott con una rota guitarra en la mano.
Mike Scott adolescente, vomitando lucidez y soledad.

Y ahora soy Blas de Otero, con una bala en la mano
y un fusil sobre la mesa, sin poder imaginar
que mis libros aún no escritos
apuntalarán el corazón
de un buen puñado de jóvenes perdidos
en la generación de las esperanzas perdidas,
esa generación a la que pertenezco,
a la que nunca quise pertenecer,
a la que siempre perteneceré.

Y ahora soy Pavese,
Pavese en el *Bello verano,*
Pavese en silencio.
Pavese gritando con la garganta cerrada.
Y soy Ian El Dulce y soy Ian El Amargo.
Y Janis, Janis y su rayo vengador,
Janis y su azote de cobardes,
Janis y su sombra sin sombra.

¿Qué ha hecho el tiempo conmigo?
Escribí después de lo de Soria,
sabiendo bien que esa no era la curva,
que ese no era el bis, el bis que se repite
al final de cada concierto.
¿Qué ha hecho el tiempo contigo?
Tenías veinte años, chaval, ¡veinte años!
A los veinte años uno puede morir dos veces
en un mismo verano,
y subirse a un coche y caer a la cuneta
y levantarse por culpa de un mal beso repentino.

Y ahora ya no sé quién soy, ahora soy
una canción robada,
un papel arrancado, un pedazo de tela
de un disfraz que se usó en una fiesta
de esas que se hacían antes de la guerra.
Pero aún hay música. Aún hay un disco
dando vueltas en algún tocadiscos.
Y Paul ve correr a John y se detiene
sin aliento. Y Mike Scott ya tiene su grupo.
Y Blas de Otero no recita más poemas

porque la poesía ya no quiere viajar en tercera.
Y Ian y Janis se quieren besar
pero hay demasiados fotógrafos apuntando.
Y Pavese tuvo su verano,
su verano de sueño fugaz de siesta de verano.

¿Qué ha hecho el tiempo contigo?
¡Serás capullo!

LA ENFERMEDAD DE LA PRADERA

Es tan terrible ser un punto en el espacio
Entre la tierra vacía y el cielo vacío
Entre los huesos del suelo y los huesos del aire
Junto a los lobos y el árbol del ahorcado.

Es tan terrible ser un grano de arena
una brizna de hierba
una pluma perdida
que flota sobre el fuego
de la única hoguera del mundo.

El aire caliente asciende,
los cuerpos muertos se pudren,
pero la mujer perdida en la noche ¿dónde irá?
Hay un punto de luz en la noche:
la única hoguera del mundo.
Y tú estás lejos. Y el viento
aúlla. Y los lobos levantan la tierra fría
con sus pezuñas veloces.
Y el aire...

La enfermedad de la pradera la llamaron.
Los que llegaron aquí vieron cómo sus piernas
se secaban como madera.
Los que vinieron aquí se convirtieron en raíces muertas.
Y entonces comprendieron que habían
confundido el horizonte,
comprendieron que no estaban en el lado correcto.
El aire era tan pesado
que la tierra ligera se dio la vuelta
y se subió en él.

BONUS TRACK.
COMO UNA CANCIÓN DE LOS SUNDAYS

Como una canción de los Sundays
te quiero noche a noche y beso a beso.
Como una canción de los Sundays
te quiero con mis noches
y con mis días.
Como una canción de los Sundays
la alegría y la pena son dos brasas
del mismo fuego.

A Ana

LA MÚSICA ERA TAN MALA QUE SE PUSO A LLOVER...

(notas del exilio, 1)

Momentos que merecen ser salvados.
Esas verbenas de Dolmen. Al final de la noche, cuando
se ponían las chupas de cuero y gritaban:
"Ahora vamos a tocar algo nuestro".
Esos extraños regresos en coches inmundos,
en autobuses fantasmales,
todos dormidos menos yo, soledad desterrada, la mente
amordazada, emociones despertadas,
sin miedo,
tan lejos de casa y de los horrores cotidianos...
Momentos que deben ser salvados.
El destello en las miradas de ellas,
la palabra exacta que cierra el arco,
soledad y silencio cuando no huelen a muerte.
Momentos que deben ser salvados.
Un tren que avanza lento y cruza
una frontera, un tren que lleva a otro tren que
lleva a otro tren, cuando aún es pronto
y uno no sabe que la partida se pierde
por miedo al triunfo.
Ese miedo agazapado
que me espera en los papeles.
Pero no hoy.

Momentos que deben ser salvados.
La pregunta de un niño que no pide respuesta.
Esa vela consumida en las noches de tormenta,
generación tras generación,
memoria tras memoria.
Esa vida perdida y reencontrada cuando uno
lleva otro nombre
y soledad y silencio son el traje limpio de la muerte.
En esta noche larga, acosado por la música hostil,
un recuerdo viene a salvarme.
Como la lluvia inesperada y oportuna que apaga
el ruido.
Como un soplo de aire en un pulmón acristalado.
Momentos que deben ser salvados.
Momentos que aún alumbran a lo lejos,
que señalan vida
en los montes oscuros de la nostalgia.
Despertar era entonces algo tan fácil.
Abrir los ojos y oler la aventura como quien huele
el pan recién hecho. Este miedo astuto
que me espera en los papeles
ha dejado escapar un hilo de luz.
Momentos perdidos que me llevarán a un cuerpo
cálido y conocido.
Refugio seguro
para una sola noche.

LOS AÑOS OSCUROS

Teníamos un 127 de mi tía.
Y teníamos una cinta de Surfin Bichos.
Y no necesitábamos más.

Teníamos una rieju, una derbi, de 50cc,
ya no me acuerdo.
Era una moto pequeña. Una moto y El último de la fila.
Y no necesitábamos más.

Por las noches en las calles vacías La línea del Frente.
Y no necesitábamos más.

Teníamos dinero para gasolina, casetes en la guantera,
los gritos y los motores calientes
de los que se estrellaban sin daño
en los campos helados.
Todo era mortal e inocente. Teníamos palabras
que no existían y sueños que no se podían soñar.
Esas flores raras no crecían para nosotros,
y nosotros las despreciábamos ruidosamente.
Porque nada era limpio y la oscuridad era brillante.
En las calles vacías
ella esperaba un beso que no podía llegar.
Los Intactos llenaban teatros muertos.
Nosotros pasábamos frío y reíamos.

Teníamos un coche viejo. Teníamos una moto pequeña.
Teníamos un límite marcado
por un sacerdote de una religión olvidada.
El límite era la curva, el límite eran los puños
y las navajas. El límite era
esa palabra que asesina a ciegas,
ese veneno que impregna algunas pieles
especialmente suaves.
El límite era el hacha del vecino, un golpe
entre Comité Cisne y OMD.
Y una noche Los Planetas dejaron de tocar.
El concierto siguió, pero alguien
había desconectado los cables.
Y ellos no lo sabían, y todos disimularon.
Las escaleras del Gran Proveedor
cada día se empinan más.

Teníamos un 127. No necesitábamos más.
Una noche vacía y ninguna prisa por llenarla.
Una moto pequeña para subir al Everest.

He odiado los años oscuros.
Los Intactos querían mancharnos
con sus dedos decentes.
Sabíamos que algo no estaba bien en el cuadro
pero no sabíamos bajo
qué color buscar.
Tú puedes ser un artista. Qué tontería.
Si yo puedo ser yo a ratos, en la noche larga,
vampiro de mi propia vida, destructor
de océanos a noventa revoluciones
por minuto.

No llegarás a ver a los Immaculate.
Ella te podría besar y sería mortal.
El frío que sube del río será tu abrigo eterno.
Dormir. Dormir. Dormir.
La moto ya sabe el camino.
Los años oscuros. Los años sin tiempo y sin perdón.
Cómo odiaba el mundo que no era nuestro
y que olía a podrido
debajo de los anuncios de trenes parados.
Hermano carnal, ¿cómo se puede estirar
el amor sin que duela tanto?
Hermano carnal, ¿de qué nos han servido los coches,
las casas, los trabajos y los cuadros, el dinero que llegó
y se fue, la televisión en color en la que
nos obligaron a escondernos?
En un bar cerrado hay un video con un concierto
de Joy Division.
Pero tú te olvidaste de vivir en tantas ciudades desnudas,
mientras yo me tapaba los oídos
porque las canciones de Kortatu
aún me buscaban en la isla del invierno.
Aviones plateados. Nunca quise otra cosa
que encontrar la rata podrida
que estropeaba el paisaje.
¿Bajo qué color o nube o río la puso
El Gran Proveedor?
Los semáforos rojos no paraban la cinta.
Si nos dan por detrás tú abrirás los ojos
un siglo después.
Dormir, dormir, el coche volcado
no impedirá el baño en el mar frío
del verano.

Los años oscuros. Hermano carnal.
Un coche de tercera mano y una cinta
de los Sound.
Adrian. Adrian. No bajes las escaleras.
Sabes que no puedes. Los Intactos van
a salir del teatro, vienen de tocarse
sus ropas podridas, sus besos mojados
alcanzarán el desierto de tus mejillas y tú,
tú, Adrian, tú no puedes bajar
esas escaleras que nosotros no pudimos encontrarte.
Y estaban. Estaban debajo de un color falso.
En las tardes la luz esculpía
un cuerpo que flotaba en el balcón.
La noche nos despertaba y la música nos protegía.
Y un día los Intactos cortaron los cables
y Los Planetas siguieron tocando.
¿Escuchas el silencio? Viene la ola.
Hermano, hermano, los trajes caros, los coches
caros, los hoteles caros, los enemigos
y los amigos, todo manchado, todo perdido,
un universo que se cuela en un desagüe
por un acorde equivocado.
Una noto, dos motos, un faro, un motor.
Los caminos se abren para nosotros.
Los años oscuros.
Los años que odie.
Y no necesitábamos nada más.

EL ASEDIO
(REMEMBER REMIX)

–Tú nunca serás vulgar.

Vulgar. Vulgar. Vulgar.

Palabras que matan besos. Palabras que matan sueños.

–Tú nunca...
Ella está con otro. Tú estás muerto.
Hablas como los muertos.
Y besarías como los muertos si besar no fuera pecado.

Sí. Tú nunca serás vulgar.
Justo lo que tú querías oír.

Jamás sentencia alguna salió de labios tan dulces.
Acepté con orgullo mi castigo.
Veinte años luchando encarnizadamente con la vida.
Cuando todo parecía perdido...

Vulgar. Vulgar. Vulgar.
Nunca ser vulgar.

...me atrincheraba entre poemas y fotografías.
Las canciones también ayudaban.
El asedio durará poco, pensaba, es cuestión
de aguantar otro invierno.

Vulgar. Vulgar. Ella está con otro.
Y tú buscas un poema donde no puede haber canción.

–Tú nunca serás vulgar.

La nieve cae sobre el bosque oscuro
y borra las huellas de mis enemigos
El asedio no terminará nunca.

Nunca. Nunca. Nunca.

–Tú nunca serás vulgar.

Palabras de hielo sobre la tierra encendida.
Palabras de muerte hinchando las velas.

DICTADO
(PARA MIS ALUMNOS DE PRIMERO DE ESO)

Yo moriré una madrugada
en una inmensa sala de hospital
rodeado de otros cuerpos vivos o muertos
rodeado de cuerpos que morirán una madrugada
o que esperarán a que yo muera
para morir conmigo una madrugada

yo moriré un atardecer
en una vieja cama de madera
mientras oigo las risas de los niños
que juegan en los campos
que meten los pies en el agua que corre
en las acequias
que hacen barcos para hormigas
con las hojas de los naranjos

yo moriré un mediodía
en mitad de una calle ruidosa
entre un semáforo y una papelera
de camino al banco o al mercado
de vuelta del trabajo o del taller

donde he dejado mi coche y unas piernas
que no andan bien
una memoria que parpadea
un corazón que tarda en calentarse

yo moriré
punto final.

MINUTOS ROBADOS

Dos minutos a segunda hora
mientras hago guardia en el pasillo.
Tres minutos, casi cuatro, un rato antes, en el metro.
Poca ganancia llevo hoy
aunque el día es largo y espeso
y si miro bien tal vez
podré encontrar algunas moneditas en el suelo.
¿He dicho que el día es largo?
El día de hoy será más que eso,
tan largo como ayer,
tan pesado y tan inútil.
No desfallezcamos, que aún queda semana
y si voy sumando los minutos
que he ido robando aquí y allá, los pocos
versos que leo, las pocas
líneas de un cuento, las pocas
hojas de una biografía, y ese tiempo escaso
de "no-existir", de desaparecer entre grito y grito,
entre susurro y susurro,
entre parpadeo y parpadeo,
ese tiempo muy preciado y muy extraño, que
pasan días sin que encuentre ni una huella,
ni una señal de este tesoro real y mío
pero caprichoso y furtivo, ese tiempo...
¿Por dónde iba?

A veces me pierdo en el vacío
absoluto de los minutos perdidos
en cumplir con mi deber,
en rellenar informes,
pero otras veces robo minutos al reloj vigilante
que ordena mis pasos y mis palabras
de ocho a tres y de tres a ocho,
y los voy juntando poco a poco,
monedita a monedita,
y los voy metiendo en la hucha
con la tonta esperanza de
al final
poder restarle un día
al calendario de la pared
que preside mi presidio.

LA VIDA SECRETA DE LAS PLANTAS
(Notas del exilio, 3)

¿Qué miras? ¿Qué mirabas todas las noches?
¿Qué miras en mi recuerdo de aquel piso,
frente a la ventana cerrada
a treinta metros del río y tantos kilómetros de esa casa
que Morrissey te dijo que nunca sería tuya?
¿Qué mirabas con tus ojos negros, con tu boca negra,
con tus piernas negras?
¿Qué mirabas con tus sueños rojos, con tus pechos rojos,
con tu sexo rojo?
El amor no es posible y el dolor es una planta de interior.
Has visto su tallo esbelto y veloz y casi
has estado a punto de sonreír.
Pero por suerte todos duermen
o están borrachos
o están muertos o
(lo más terrible de todo) se han rendido al frío
que sube del río
y han entregado su semen congelado
para fabricar una crema que no salvará
a ninguna ballena.
Yo sé que sonríes, y sé que sonríes por nada,
por no llorar
por no gritar, porque quieres gritar

pero la bruma que sube del río
llega muy alto,
a siete pisos de altura,
llega a la ventana, llega al dormitorio vacío,
a los colchones
del suelo, a los cuerpos que duermen,
los cuerpos que no saben
que el dolor es una planta de interior,
que el dolor es una planta rápida,
que el dolor es una planta extraña,
sin fotosíntesis, sin semillas, sin hojas, sin raíz
y sin espinas,
pero fuerte, tan fuerte
que miras la ventana oscura,
miras tus dedos rojos
miras la ciudad borrada, el puente roto,
que tenemos que reconstruir cada noche,
y sin verme me miras, me miras sin hablarme,
sin hablarme me culpas
del anillo que cayó al río y de los bares
que no cierran nunca.
¿Y cuántas noches ya llevamos con lo mismo?
Todo está mal. Desordenado. Revuelto.
Las puertas abiertas llevan a pasillos negros
que acaban en un dormitorio
donde siempre hay un muerto en la cama hecha,
vestido, con las manos cruzadas
sobre el pecho, mirándonos.
Los trenes no salen, los autobuses cruzan
la calle equivocada,

los cementerios se multiplican y el Cierzo
barre las tumbas interinas.
Y los demás duermen y tú miras por la ventana.
Y tú ya ni fumas ni bebes porque el bar
quedó al otro lado del río
y será demolido en una media hora.
Tú solo miras mi reflejo invisible, la pared
sin sombra
y casi sonríes.
Y no dices nada, porque sabes
que el dolor es una planta de interior,
que el dolor es una planta rápida,
que el dolor es una planta extraña.
Y mientras la niebla que sube del río
borra el portal,
el primer piso, el segundo piso, el tercer piso,
y va rápido hacia la ventana,
miras los cuerpos de los demás, fríos,
cerrados,
mudos,
y quieres gritar, quieres despertarlos
con gritos, patadas e insultos.
Ellos no saben que todo está mal.
Se enredan y se confunden de boca,
y es fácil,
para ellos es fácil, dormir, morir, rendirse,
venderse por una canción o por una cerveza
donar su semen congelado a cualquier sacerdote
de cualquier templo no visitable.
Hemos caminado juntos
y hemos gritado y golpeado juntos.

Pero ahora no.
Ahora nada de esto sirve,
porque la noche acaba
y solo quedamos tú y yo,
porque al final todas las noches acaban,
todos los bares son el mismo bar,
todos los conciertos acaban con el mismo bis,
todos los puentes
son el mismo puente blanco,
y solo quedamos tú y yo,
tú y yo en la ventana roja
tú y yo en silencio,
matándonos con palabras
escritas en el vaho del cristal,
con palabras que suben del río
y nadie escucha detonar.

NUEVO ORDEN MUNDIAL (POEMA SIN POETINA)

Las navidades han pasado rápido y despacio.
Hace frío y calor.
Te quiero y te odio.
Te busco y te rechazo.
Somos ricos y pobres.
Contentos y tristes.
La casa es grande y pequeña. O:
The house is big and small.
El dinero es todo y nada.
All and nothing.
En en nuevo orden mundial
seré cruel y cariñoso.
Cumpliré mi destino y mi azar.
Solo hay una certeza: No habrá más poesía.
Por eso este poema sin poetina.
Poema final del placer y dolor.
Qué estupendo todo y qué desastre.

POEMILLA DE LA ESTACIÓN DE DELICIAS

Viejos amigos de Zaragoza,
he pasado por vuestra ciudad
y no os he buscado.
Tengo vuestros teléfonos y direcciones
pero no los usaré.
No dejaré ningún aviso.
No dejaré ningún mensaje.
No preguntaré a los vecinos. No me sentaré
en un bar
para examinar vuestras nuevas vidas
en vuestras nuevas casas.
Viejos amigos de Zaragoza,
he pasado por vuestra ciudad como un ladrón,
como un espía,
como un fugitivo.
Llegué con la niebla y me voy con el rocío.
Los jardines, las rotondas,
los hoscos semáforos
no darán la voz de alarma.
Viejos amigos de Zaragoza, no tenéis
nada que temer.
El pasado ya solo es peligroso
en mis recuerdos.

POEMA QUE YO NO HE ESCRITO NUNCA

No me habléis de injusticias.
No me habléis de futuras plagas, de desastres,
del Apocalipsis que viene.
No me habléis de la estupidez del hombre
y de su eterna maldad.
Decidme que mis hijos crecerán sanos
y fuertes, que
nunca desearán la muerte de su padre
porque el que ama mucho
a veces ahoga.
Decidme que algún día tendré la sensación
de no haber desperdiciado mi vida,
que todo servirá para algo,
que la muerte y el dolor
me concederán una pequeña tregua
(otra pequeña tregua más).
Decidme que mis hijos
podrán tener otros hijos
(si quieren),
porque el mundo,
pese a todo, todavía será un lugar habitable.
Decidme esto
o me me digáis nada.

Y TODO EL DOLOR (I)

Adrian, no bajes las escaleras.
Por favor te lo pido. Espera un momento.
Es una escalera corta, lo sé, parece fácil.
Mira, aún hay música.
No es tuya.
Tú ya no puedes más.
Estas cansado.
Y tienes razón.
Adrian Borland,
no bajes las escaleras.
Lo han dicho por megafonía.
No te puedes esconder.
Escucha: ya viene el tren.
No es como en Buenos Aires.
Este no se esconde.
Y da igual el día o el túnel o el sol o la nieve
o la bomba o el bombón
o el cristal o la vena o la calle vacía
o la cuerda en la cocina o
el hielo de Berlín y los héroes
que pintan los niños en las tarjetas
o lo que sea, Adrian, qué más da lo que sea,
venga de donde venga,
tú no mires, tú te paras,
tú no bajes la escalera.

Que nosotros estamos aquí.
Aunque no estemos.
Aunque aún no hayamos llegado.
Adrian, Adrian Borland, en ese tren,
en ese tren que te va a matar,
nosotros venimos a salvarte.

(Adrian Borland, cantante del grupo
The Sound, 1957-1999)

MAUSOLO. VERIFICATION CODE.

Perdóname, Emma, por revelar tu nombre.
He guardado el secreto durante años.
Me he casado, he tenido hijos, he tenido
trabajos y vidas y amigos y amor.
He sido cualquiera, he sido nadie.
He vivido oculto en un papel vulgar.
Y he esperado tu señal, tu mensaje, tus instrucciones
precisas, el momento de la acción inevitable,
porque solo la acción inevitable da sentido a mi vida
de infiltrado en la vida de los demás.
Estaba preparado para todo.
Y nunca temí al verdugo que me esperaba fumando
en un bar vacío.
Las noches de Zaragoza son muy frías,
recuerdas, frías y largas, pero yo escapé
en tren, en un tren cualquiera,
y no dije nada, ni una palabra,
por mucho que me presionaron,
con besos y pistolas, no dije nada,
ni una sola palabra, te lo juro,
en todos estos años, ni una palabra.

Emma la dura, Emma la piedra que rebota
contra el metal doblado, Emma la que mira
la noche clara de Tiermes y acaricia al zorro
con el humo de su cigarro, Emma la que
nunca te dirá que te espera cuando te espera,
te pedirá un beso cuando te lo pide,
te mentirá sin piedad cuando miente.

Lo siento, Emma, te he fallado. No he podido
completar mi misión.
Y estaba preparado, maldita sea, lo estaba...
¡No sabes cómo tenía ensayado el saludo cortés
y lo bien afilado que estaba el puñal de la manga!
Pero he fallado. Ha llegado el momento
y he fallado...

Las noches de Zaragoza eran muy frías.
Y luego volví a Tiermes, y escribí palabras
y palabras y palabras.
Y enterré palabras y palabras y palabras.

Nadie cruzará más el río.
Ni buscará anillos de oro entre los árboles
de la ribera.

¿Qué puedo hacer?
Te pido perdón aunque es inútil
porque tú ya no puedes perdonarme.

Lo mismo le pedí a Ana cuando me rescató
del papel polvoriento del último poema.

"Es difícil de entender pero yo vivo ahí,
es como vivir en un hueco bajo el asfalto,
uno se acostumbra a todo", le dije.
Ana me miró con sus ojos dulces
y me dio un pasaporte y un país y una casa
y un despacho con muchos libros y una cocina
con comida en la nevera,
y un cuerpo nuevo y unas manos nuevas
y una boca nueva
y un futuro no cerrado
y un nuevo código de verificación
que me ayuda a recordar qué lado de la calle
es el que moja siempre el jardinero
en las mañanas secas del verano.
Y yo le fallé.
Le fallé cuando llegó el momento de la acción inevitable.
Porque solo la acción inevitable da sentido
a mi vida de infiltrado en mi propia vida,
de espía y conspirador de mi propio pasado.
Era difícil, sí, desde luego, no lo niego.
Pero era mi trabajo.
Y estaba preparado. Impaciente.
Contaba los días.
Contaba los minutos.
Y luego... Nada. Fallé. Un desastre...

Los años vuelan sobre los recuerdos abiertos
que sangran palabras oscuras y venenosas.
Nunca podemos escapar el verdugo,
que fuma tranquilo al final de la barra.
Si te dicen, Emma, que alguien te puso flores

no me culpes por mi torpeza, que estuve
callado y oculto en mi uniforme
de ciudadano ciego y obediente
hasta el último minuto del asedio.
Y si te dicen, Ana, que te dejo flores
en la mesa del comedor, entiéndelo,
no puedo hacer otra cosa.
Ni decirte otra cosa que no te haya dicho ya cien veces
en todas mis noches de pesadilla.
¿Qué puedo decirte para que me perdones
por seguir pidiendo el perdón a los muertos?
Son mis muertos, lo sabes, ¿verdad?
No son los muertos de los otros.
Son mis queridos muertos.
Los muertos que he matado
cuando pensaba que tenía el cargador vacío.
Tenía un trabajo, un nombre falso, una misión.
Y he fallado.
Te he fallado a ti. Le fallé a Emma.

Todos fallan, dice riéndose el barman.
y mira cómplice al verdugo que no quiere delatarse
y hace como que lee un periódico.
¿Que cómo lo sé?
Hay un bar perdido en la niebla de Zaragoza
que tiene una puerta que da a un hostal en Granada.
Los besos y las lágrimas se caen al suelo
y los recogen personas desconocidas.
Los besos y las lágrimas no tienen nombre.
Solo yo sé quien es el dueño.
Es mi trabajo. Ver qué cae y quién lo deja caer.

Es mi jodido trabajo.
Y, lo creáis o no, yo antes era bueno en esto.
¿Bueno en qué?
Define tu vida en dos palabras:
disimulo y suplantación.
La vida del espía.
La vida del conspirador.
Pero no cualquier espía, ni cualquier conspirador,
no, peor aún, un espía que no conspira,
un conspirador que no espía.
Esa era la manera, la única manera,
de poder traicionarme cada día
para no traicionaros a vosotras.

Los años de paz han acabado.
Ya puedo desprenderme de mi traje de civil.
Y puedo decir que he fallado.
Porque se hunde el barco y todos gritan
y se declaran un amor ridículo.
Yo no. Yo amé. Y el amor cayó al suelo
y rebotó y se ocultó bajo la barra del bar
y el verdugo fue rápido, qué cabrón,
¡Tendríais que haberlo visto!
Me quedé horrorizado.
El momento de la acción inevitable
que rebota y rebota en mis noches de pesadilla.